Olimpia

Du même auteur

R., Comp'Act, 2004

La Manadologie, Éditions MF, 2005

Le Dernier Monde, Denoël, 2007 ; rééd. Folio, 2009

Bastard Battle, Léo Scheer, 2008 ; rééd. Tristram, 2013

So long, Luise, Denoël, 2011 ; rééd. Rivages Poche, 2014

Les Ales, en collaboration avec scomparo, éd. Cambourakis, 2011

Faillir être flingué, Rivages, 2013 ; rééd. Rivages Poche, 2015

Ka ta, en collaboration avec scomparo, Rivages, 2014

Le Grand Jeu, Rivages, 2016

Céline Minard

Olimpia

Rivages

Retrouvez l'ensemble des parutions
des Éditions Payot & Rivages sur
payot-rivages.fr

À Rome

« La science historique nous laisse dans l'incertitude sur les individus. »

Marcel SCHWOB,
Vies imaginaires

Je lui brûlerai les doigts les doigts de pied, je lui donnerai autant de coups au foie qu'il a de poils de barbe, je lui mettrai les poucettes, la barre de fer rouge au cul, le ferai bouffer des rats, les sourcils arrachés, les anathèmes sur sa tête, la peste, la peste soit de sa race de barbarie, je renvoie Machiavel à ses classes, je ne sais pas lire mais je règne encore et la peste je l'envoie, la peste sur Rome et sa noblesse, mille tablettes de plomb gravées pour la peste sur Rome et ses ruines, la peste sur mon propre palais, la peste piazza Navona, la peste sur les églises et les temples, la peste omnia terrae, je ne pars pas en exil, je ne fuis pas, je devance, je cours, je file la peste lancée sur Rome par mes mains agiles, qu'elle découse mon procès et mes juges, mes serfs, qu'elle les couvre, les couvre de bubons chancreux, la langue gonflée dans la bouche, qu'elles les ouvre, les couvre de bleus, les gonfle, qu'elle les couvre et qu'il en sorte les nains monstrueux qu'ils renferment, gibbeux, les gueules torves, les pieds dedans, les genoux cagneux, les os claquant, pas d'esprit hors ce qu'ils crachent dans les écuelles, omnia putrida, pas de feu dans l'âme, la volition pourrie par le socle, le marbre antique changé en fromage fendu puant vermineux, omnia foetida, que ces rejetons les crèvent en leur sortant du ventre et qu'ils crèvent à leur tour, que la peste les étouffe, que la peste les broie, les meule, les perce, qu'ils jettent leur dernier souffle en un pet par le cul en ensemble et qu'ainsi Rome en tremble !

Dussé-je subir ces maux à rebours, dussé-je revenir en fantôme, hurlant à la lune comme la louve dont ils m'accablent et qui pourtant, fondant la ville, fonda l'empire, dussé-je revenir, morte revenir, et passer en carrosse noir tiré de chevaux noirs la cape noire au vent comme la grand-voile du deux mats de galère emportant la piazza Navona, mon île, mon isoloir, le siège de mon pouvoir, dussé-je le voir vide et noir et désert, dussé-je le voir couvert de croûtons par une race de bâtards et nuit et jour piétonné par une foule de crétins, dussé-je voir mon palais à terre, mes fontaines taries, Sainte-Agnès enfoncée, mes Cortone en poussière, tous mes bustes volés ou mutilés, mes portraits disparus des palais nobles, vendus et brûlés, dussé-je voir tout ce que je fis construire enterré comme la curie dans un champ à vaches, dussé-je revenir en corneille noire et mantelée et bouffer du pigeon pour des siècles, mes anges ! que la peste les emporte !

Je ne fuis pas, je n'obéis pas, je vais à Viterbe, j'y vais, j'y vais confirmer mon envoûtement à Mithra. Mon saint Philippe le Noir me soutient.

Tous ceux qui m'ont baisé les mains et les pieds se convulseront ce soir.

Tous ceux y compris mon fils, mon neveu, le fils de mon fils, la putain Rossana et sa branche de putain, mes filles, leurs maris, mes sœurs, celles de Didi, les saintes femmes, tout cela, cette famille de gâteux au nom de qui j'ai tout fait et qui ne sut que s'en plaindre, je renie, se convulsera ce soir. Mon pouvoir à Mithra.

Un tyran mais bien sûr, mais restez donc sur votre cul à tirer les biques par le pis mes chères filles, et branlez le prince qui passe, il vous fera cadeau d'un rubis. Une ogresse et un démon, mon fils, un tyran, une ogresse et un démon et quoi d'autre, toi qui t'es prostitué à la noblesse, qui fis le bon prince, bien idiot bien large avec mes caisses, qui me jeta le chapeau à la face et avec lui toute la pourpre du Vatican, le pouvoir d'un premier ministre, le début d'un règne, la promesse de l'omnipotence, un tyran penses-tu, un tyran n'est rien devant moi. Un cheval, un outil ! Tu ne l'as jamais compris. Ta putain de femme Rossana, princesse de ton membre d'âne l'a mieux saisi, quand elles ne sont pas plongées dans l'abrutissement, les femmes sont incomparables. Quand elles le sont, elles le sont, elles s'y baignent, elles emportent aussi les lauriers.

Je suis née de Force et de Victoire à Viterbe et j'y retourne. J'y vais, puiser dans le caveau noir de mes dieux domestiques. Tenez-vous prêts mes lares, mes larrons, ma vengeance, ma soif est sans mesure, tenez la coupe haute, tenez-la prête et la recette des Borgia pour l'élu du jour qui la boira je le veux, et sa lie et son calice fondu en or brûlant par un petit tuyau de zinc roulé et du moule de son estomac recuit sortira la pièce maîtresse de mon Service, informe et long et gros comme une poche de bœuf, et la ferai monter par un forgeron d'art et la ferai sculpter en bosse par un petit maître de cour, un Bernin, un Borro, et la ferai montrer à table en soupière pour le consommé de tortue français et ainsi mangeront mes convives triturés la soupe du pape dans sa carapace étincelante, la bouillie verte dans son bol d'or massif, la merdrerie verte du rapace qui veut me chasser comme j'ai chassé les mouches en 44 accrochées au

Saint-Siège branlant, aux colonnes torses du baldaquin, aux portes des églises, aux tympans des palais et ma colombe, ma grosse colombe au rameau d'olivier finira cette tasse délicieuse comme un sorbet.

Comme un de ces sorbets dont j'ai gavé les princes de sang et leur cour de nains, les esquitti rinfreschi dei varie sorti, dont je leur ai bourré les gosiers place Navonne, le cul posé sur mes tabourets d'amarante, sur mes fauteuils tapissés à fil d'or et d'argent, sur mes balcons place Navonne, sous mes baldaquins, sous mes toiles de soie, en plein soleil, le cul posé, la gueule pleine, les yeux comme des baignoires à regarder les deux fontaines et les quatre fleuves inonder mon navire de pierre, recouvrir les pavés, rafraîchir les nymphes et les tritons, noyer les poux ; les oreilles comme des mares, les mains pleines de spumante et spume gelate, la tête brûlante, le ventre glacé, les pieds au sec par ma seule volonté. Ah Pasquin, dis-le partout, chante, la noblesse de Rome est traversée de diarrhée, qu'elle sonne, qu'elle tonne, je règne encore !

Moi je garde. Je prends, je conserve, je garde.

Offrez-moi des plats de bijoux, des seaux d'or remplis de perles, je prends le seau, je garde le plat, les bijoux et les perles. Je conserve, je garde. Viens en carrosse, je te reçois, je reçois ton carrosse. Je le garde. Viens les mains vides, je ne te vois pas, tu ne me vois pas. Qui rien n'apporte ne voit la porte. Et va te faire pendre Giustiniani, je ne suis pas avide, méchante en tout, vendant tout, je règne. Il n'est rien qui se consume soi-même autant que la libéralité. Je n'ai jamais vendu qu'une seule chose, ni biens, ni colliers, ni crucifix, ni bassins et toutes fanfreluches d'autel, une seule chose, mon autorité. Non pas mon influence, je dis bien mon autorité, qui d'être achetée ne fait que s'accroître. Un vrai prince, un vrai roi, un tyran véritable ne vend que ce qu'il a – des bulles – et le vendant se l'octroie, le vendant deux fois et cent fois se l'octroie d'autant. Pas un objet, les objets ne sont qu'une concrétion du pouvoir, une pluie de parures destinée aux maisons et à leur lustre, une tapisserie de peintures pour les salles de réception, une tenture. Le velours de Gênes, le cramoisi, l'ébène, le diamant, les témoins liquides de la foi, de la foi au tyran, Excellence, je vous crois. Cinq fois j'ai vendu le pauvre collier de Mazarin offert en échange du chapeau rouge pour son frère, cinq fois le collier qui m'appartient, sans le perdre, sans le rendre, sans m'en vêtir, je prends, je garde, je conserve, je garde.

Je ne suis pas avide Giustiani, un avide est un affamé, je suis repue, je suis obèse, les richesses ne m'attirent pas, je n'ai jamais fondé mon poids sur la puissance qui n'est rien mais sur l'autorité qu'on m'a prêtée d'abord, qu'on m'a ensuite achetée, ensuite à prix somptuaire, et qu'en m'achetant on m'a confiée, comme une goutte d'eau à qui sera la rivière, le fleuve, la mer. La place Navonne tout entière est sortie de mes eaux qui la portent et c'est mon œuvre, mon iso-loir, le siège de mon pouvoir, ma bannière mais elle flotte sur mon ventre et je fais mine de m'y asseoir. Que Rome aux antiques canalisations s'abstienne de me provoquer.

Les fêtes de l'inondation m'appartiennent. La pyrotechnie à Néron. À moi les nuages en stuc, les putti décapités aux joues gonflées de vent qui les poussent, à moi la lune ordonnatrice des marées, la reine pâle des nuits blanches et des hybrides, des humeurs. À moi les eaux souterraines, les rumeurs, les niches dérobées d'où je surgis, les ruelles enterrées où courent les os de l'empire, à moi les seins des sphynges, les cuisses du Danube, les bras du Nil, la multitude des fontaines ! Partout dans Rome, je suis, j'éclabousse, je réponds au soleil. À moi le jeu des perles d'eau devant Saint-Pierre, les vasques, le réservoir de Kircher, le therme des empereurs et la cloaca maxima, je prends, je garde, je récupère.

Le peuple m'a suffisamment comblée en m'appelant Pimpaccia et impia et putain de pape et suceuse d'Innocent et vamp, vampiria et femme à sceptre et Didi un chasse-mouches, il m'a assez conchiée pour que je puisse lever une armée de Pasquins tout en merde et remplir d'un bout à l'autre le pont Saint-Ange et couper ainsi cette ville de hâbleurs de la bulle vide du Saint-Siège désormais vide d'où l'on veut me chasser.

Nouvel élu héritier de Pierre, nouveau parjure annoncé, nouveau traître, je l'ai déjà dit, tu crèveras la gueule pleine d'or bouillant pendant que les Romains compteront sur leurs membres les boutons de la mort. Ces boutons que j'aurais passés un à un dans leur meurtrière, comme les boutons de ta cape, Didi, de ta cape papale cramoisie, ces boutons de rien que tu ne savais pas défaire car tu n'as jamais su pisser sans que je te la tienne.

Mais je ne t'ai pas laissé crever mon Innocent, mon dit X, mon Didi, tout au contraire, je t'ai taillé, je t'ai insufflé, je t'ai porté comme un gant de chair au sommet du pouvoir, comme un masque, comme une forme de ma volonté sur l'estrade du grand cirque. Tu étais laid et je t'ai paré, tu étais pauvre et je t'ai enrichi, tu étais mol et je t'ai bandé. Sans moi, mon autorité, tu serais resté un petit nonce avachi, un monseigneur-je-ne-peux-pas, un plutôt-pas, un prélat-non-merci, une résistance d'inertie, sans moi rien du tout Didi mais avec moi en robe blanche, en pourpre, tragique, poudré jusqu'à l'os, gonflé de goutte et d'hydropisie par mes œuvres, animé par mon fluide, mon éclat, tu as été la plus grande reine de l'État. Une merveille de potence, un aigle ma grosse colombe, un loup sous sa louve.

Quant aux miens et aux tiens qui furent miens et que j'ai élevés, si je peux appeler miens ces monstres imberbes que j'ai nourris et qui s'écharperont pour des lambeaux, je laisse la cape que je ne peux plus porter, ta dépouille véritable, pour qu'ils la passent au hachoir et qu'ils s'en fassent des amulettes. Ainsi la petite Anna gnagna pourra-t-elle se passer enfin du bout de relique dégoûtant de saint Justin sans quoi elle ne peut traverser le corso. Et dire que tu fis une bulle et une vraie à cette dévote superstitieuse à qui il aurait mieux valu donner un peu d'air frais et un verre de grappe !

N'ai-je pas fait donner assez de messes pour la vie de ton prédécesseur ? Ô combien la maudite guêpe, de messes pour que sa fin colle à ton horoscope ? Elle a collé. De quoi m'accuse-t-on ? D'impiété ? De politique, de cruauté ? Tout ce que les anciens ont pu voler, ils l'ont volé, les chasse-mouches, les trésors, les obélisques, et l'Église les a pillés. Ils ont volé les Grecs, les Étrusques, les Germains, les Daces, toutes les terres où ils ont porté la guerre, ils ont volé l'art, l'argent, les dieux, les hommes, et de retour, enfonçant les portes ouvertes en triomphe, ce peuple de pilleurs où les boulangers reposent dans des sarcophages de rois, ce peuple de voleurs, a fait son pain avec une levure volée dont il ne connaissait pas la puissance et qui l'a englouti. Et passèrent les Vandales récolter quelques têtes. Et passèrent les Barbares qui fouillèrent le sac. Et les vaches broutèrent et personne ne se soucia plus de la grandeur de Rome jusqu'à ce que l'Église la creuse et l'évide, ramasse les colonnes effondrées, repeigne les plafonds, et fasse du panthéon un nouvel autel au nouveau dieu.

De quoi m'accuse-t-on ? De bâtir sur des ruines, d'usurper ? De planter sur ma place un obélisque dédié à Isis taillé sous d'autres cieux dans des temps plus anciens ? De voler ce qui fut volé par nos pères ? De régner illégitimement comme s'il existait des règnes légitimes ? D'affamer le peuple comme si le peuple, toujours, en tous lieux, n'avait pas exactement ce qu'il mérite, ce qu'il veut ? Et les Romains qui détestent les rois fabriquent des empereurs, qui détestent les papes, des papesses ! mais je ne commettrai pas, moi, l'erreur d'accoucher en public pendant la procession commémorative.

Et je ne fuis pas, je ne me dérobe pas, je n'obéis pas à la sentence d'exil prononcée par le nouveau nabot sous la tiare, je vais à Viterbe, Viterbo ! visiter mes parents, mes lares, Force et Victoire et nouer sur leurs têtes le vœu de peste que j'ai prononcé à San Clemente sur l'autel de Mithra, je vais sacrifier à Viterbe et impia pourra-t-on me dire si jamais Rome en réchappe !

Je cours, je file devant semant la poudre, l'or de ton écritoire pontife, l'anthrax épidémique, la peste, la bubonique, semant l'or et l'anthrax, je file.

J'ai lancé mon carrosse noir sur Orvieto en grande pompe, les canailles le suivent tandis

23

que je file, intacte, inconduite, dans ce petit équipage maquillé dont le sillage poudreux dévore le temps qu'il te reste, nanibus et bouffon Chigi. Tu sauteras au bout de ma corde, fillette.

Crache sur le népotisme et il te le rendra par bassines, si tu vis Chigili, tu le mettras ton neveu, jusqu'à la garde, crois-le.

Dédaigne les cadeaux, ne te paye pas sur l'Église, ne vends pas d'indulgence, pas de charge, pas de bulle, et tu seras brûlé comme hérétique.

Le pouvoir ne corrompt que les faibles.

J'ai été indifférente à tous les princes, mes sujets, j'ai toujours été pour celui qui donnait le plus. Indifférente à tous les liens, à toutes les complicités, intraitable, on ne peut me trahir.

Intraitable, on ne peut m'échapper.

Ce vieux singe qui enleva son fils à l'église pour ne pas payer sa dîme, je l'ai fait cracher trois fois son dû, non plus pour la vie de robe de son chatouilleux rejeton mais pour sa vie tout court. Trois mercenaires sombres équipés de rapières ont suffi pour lui faire un procès, la peine – qui fut de mort, on ne provoque pas sur mes terres les gens qui passent – fut rachetée à sequins trébuchants par le vieil avaricieux, et voilà pour lui. Personne ne déroge au tyran. Personne à sa loi.

Bernin, les mouches se piquaient de toi, je t'écrase. Tu veux revenir en grâce ? Concours, travaille et offre la maquette en argent de ma superbe fontaine à ma superbe indulgence. Sans les princes, les exécuteurs ne sont rien. S'ils ne sont occupés par la tête de la reine, les coiffeurs peignent des moutons. Champagne était un fat et Christine une imbécile éclairée mais l'insolent ne doit qu'à cette monarque, abdiquée, abjurée, le peu de nom qu'il s'est fait. Cette reine de Suède ne lui cède en rien sur son métier : elle s'est tondue elle-même.

Les artistes ne nous approchent pas, ni en vérité ni en peinture. Et quand ils représentent les bouffeurs de haricots qu'ils sont, la gueule ouverte, c'est pour se délier les poils du plumeau, ni pied ni patte. Il nous faut de bons tartineurs, de bons tapeurs de marbre, comme il nous faut des teinturiers et des tapissiers, des architectes, des couvreurs, des manucures, des joailliers, des domestiques, ni plus ni moins. Celui qui sert participe à la gloire de celui qu'il sert, il la crédite, la lustre, l'accrédite, il en témoigne, mais le sujet est roi, il prend, il garde, il prend garde. Fais l'andouille Buonarroti et nous viendrons te chercher aux portes de Rome par égard pour les Medici, mais fais l'andouille encore et c'est l'incident diplomatique, ta tête de brute au bout d'une pique Sodome !

Tu avais des dispositions Didi, quand tu étais prélat sous le nonce des mouches tu pris au peintre du Moustiers la seule bonne chose qu'il avait dans son atelier, un volume relié pleine peau, mais mal empaumé, le livre faisait plus qu'un psautier sous ta soutane, le peintre te jeta dehors à grand bruit, bourgmestre de Vendôme ! Enculé ! Et comment ! J'en aurais fait tout autant et plus, en t'agrémentant le cuir de quelque cilice mais bienheureusement tu revins d'Espagne la queue entre les jambes après m'avoir fait totale

26

allégeance, mes entreprises, ma sœur, me réussissent moins bien depuis que je n'ai plus votre conseil. C'est peu dire ! Toi qui savais à peine assez de latin pour dire la messe.

Mais je ne t'ai pas laissé crever, je t'ai habité, je t'ai porté, porté comme une hermine et je t'ai choisi bien laid, bien impuissant, les sourcils très gros pour qu'on te reconnaisse de loin sur l'estrade, mon pouvoir, je t'ai adoré comme aucun courtisan n'a jamais eu la force de le faire, adoré mon roi, mon excellence, l'essence de ma vie, ma Victoire, je t'ai choyé ma grosse colombe, j'ai ramassé tes ordures, j'ai refait ton lit, j'ai goûté tes plats et supporté tes vents, et chaque jour je t'ai mis. Je t'ai porté chaque jour, je t'ai porté en peau véritable, je me suis vêtue de toi comme Hercule de l'ours, j'ai parlé dans ta bouche, j'ai signé de ta main et jouant ton rôle, chaque jour, j'ai joué le mien.

Après ta mort, le masque bougeait encore. Ton corps crevé, pourrissant vert, omnia foetida, dans un réduit du Quirinal, veillé par les rats et deux bougies de graisse, les pieds plats, dépouillé jusqu'à la chemise, ton corps masquait encore mon pouvoir, les trente voyages en litière que je fis entre le Vatican et mon palais place Navonne, les papiers que je pris, que je camouflai, le liquide qui devait encore couler et passer le Tibre jusqu'à mon lit, coula.

J'ai partagé ton enclos puant, je t'ai maintenu aux yeux du monde, maintenu vivant, trois jours de long, je t'ai tenu devant ma face à bout de bras par ma force, ma force seule, ma seule force, par ma force.

Je t'ai soutenu Didi, alors que tes traits s'effondraient dans ta chair. Quelle épouse, quel amant, quelle mère, quel maître, quelle putain pourrait en dire autant ? Quel amour ?

Que la louve du Capitole tombe en mélasse sur les deux homoncules du fondement de Rome si je mens ! Rien en toi n'aurait été grand sans mon pouvoir, pas même ton nez.

Le Dieco Valasco qui s'est transporté à travers les mers avec son estramaçon sur le flanc et ses moustaches d'hidalgo cirées pour acheter les meilleurs morceaux de toile diplomatique et sonner des éperons sur le pavé des salons romains, l'avait bien vu : ton nez de foire avec sa grosse verrue. Il ne t'a pas flatté mais il te l'a quand même opérée celle-là ! Mon pauvre Didi qui as toujours eu peur des médecins – cette race de chiens –, qui fuyais jusqu'au plus discret des arracheurs de dents, il t'a bien arrangé ce bellâtre di Spagna ! On te voit tout entier avec ta face rouge, sur le fauteuil rouge de mon trône, avec ma bague au doigt, avec ta barbe maigre dérobant ta bouche fuyante, l'air pleutre partout hormis dans la lumière sauvage de tes yeux, les miens ! par le trou du masque. Bien sûr que c'était « troppo vero » et qu'il n'y avait pas lieu de faire de grands honneurs à ce reître qui faillit t'enlever les œillères et t'arracher la figure. Quelle crise tu fis quand tu te vis comme un vent sur la chaise percée, mieux que dans un miroir, oh tellement mieux, quelle crise mes aïeux ! Il fallut rien de moins qu'un corps de gardes corses tout entier pour que le Valasco ne s'en retourne pas les pieds devant, et quels baumes, quels onguents j'ai dû te tartiner après que tu te fus épuisé à rouler par terre en pleurant, en griffant les tapis ! Je dus faire changer tout le velours du cabinet réduit en charpie et encore porter quelques kilos d'or au peintre imbu de son étiquette et organiser une grande fête de vernis pour raccommoder l'accroc à sa vergüenza de raidillon. Putain de ma vie ! les dépenses pour un pourri diplomate aux mains de garce !

Au moins quand il fit mon portrait après Son Excellence, lui imposai-je des séances longues comme le jour sans pain et s'il ne me manqua pas, au moins fut-il contraint de me faire de face les yeux dans les miens et mon voile est comme un bouclier de gaze où il montra toute sa finesse et toute ma dureté qui en eut raison.

Et je te fis commander le tien Camillo mon cher fils pour qu'en place d'une outrageante indiscrétion, le portrait sanglant de Didi devienne aux yeux du monde une perle de l'eau la plus fine, et le façonnier à moustaches, le peintre grandissime, le peintrissime des puissants de ce monde. Je revois ton geste devant ce maudit tableau de ton oncle, ta main portée à ta bouche tremblante, tes yeux pleins de larmes comme si tu prenais enfin la mesure de mon pouvoir. Ah comme vous auriez pu vous entendre mes corniauds, la même faiblesse dans cette lignée de colombe, la même complaisance immonde, dont j'aurais tiré tant de force sans ta catin de femme Rossana, que le mal foiré l'emporte. Je te revois te jeter à ses pieds, et pour qu'il n'ait pas à supporter le spectacle de sa veulerie, le prier, le supplier de te l'offrir, ah mon oncle faites-moi l'honneur.

Péteux de moine, pourquoi n'es-tu pas resté dans les ordres à promener ta belle âme ? Qui dans Rome t'aurait reproché de planter l'asperge où le terrain s'y prête ? Les cardinaux sont tous bougres ou boucs, une porte dérobée n'est pas le bout du monde, fût-elle étroite, on y entre et on en sort plus facilement qu'au couvent, ton architecte n'en aurait pas eu les yeux crevés lui non plus ! Ta villa du Bel Respiro n'en aurait pas été défigurée, pas plus que ta princesse. Si elle t'avait trouvé inflexible, elle t'en aurait d'autant plus couru la braguette. Alors que maintenant, bel et bien mariée, elle fait des mines, c'est toi qui courses et on te voit dans tous les bordels, la bonne affaire ! Encore heureux que je récupère le tiers des bénéfices pour protection pontificale, qui vaut toutes les polices. Car il ne faut rien négliger dans un gouvernement, et surtout pas les grosses ressources de la chatte et du vit qui se monnaient.

Un grand dommage encore est que la confession se pratique à l'œil et que le péché se rachète en marmonnage et génuflexions salutaires, je n'ai pu y changer grand-chose, mais un temps viendra, plus avancé, où on me reconnaîtra l'avantage.

Mais toi, continue comme ça et tu finiras comme ton père, jeune et beau tout surpris, c'est donc la fin mais qu'ai-je fait de ma vie ? Occupe-toi de la blancheur de tes fraises, de l'amidon de tes chemises et du cul de tes chèvres et tu finiras comme lui, tout aussi abruti qu'en naissant, et tu laisseras deux palais pleins, une collection de toiles, du mobilier à chier partout et trois églises en ville, bien décorées, et ce sera toute ta somme et rien de plus. Ci-gît Camillo, fils de la meilleure tyrannie de Rome, à qui on offrit le monde et qui ne sut qu'en faire. Le fléau sur ta tête de crémier !

Va-t'en repriser les chausses de ton sculpteur, va compter les poils à ses pinceaux mais ne reparais pas devant moi, jamais, avant d'avoir ramassé trois diamants glutineux dans la bouche d'un mort pestiféré.

Puisse ton fils qui me ressemble te renvoyer en exil à coups de pelle, puisse-t-il arracher le trône au gibbeux qui me chasse avec ton aide je le sais, puisse-t-il te bouffer la rate au bouillon pour avoir méprisé l'empire et le prendre, le garder, le prendre. Et puissent les fils de ton fils déshonorer ta mémoire et tout vendre ! jusqu'à ton portrait de singe. Puissent-ils se faire voler, trousser, tremper dans les banques et tout perdre hormis l'éclat de nos gloires passées, puissent-ils se retirer dans la maison de Livie et se manger les poing en regardant les fruits, tout perdre hormis l'appétit, l'arrogance, la conscience, et gésir sur les grilles de l'impuissance !

Le pouvoir n'est que de gueule, de la créance d'autrui, le nom qu'on crie dans les rues, rien n'est plus important, quoi qu'on en dise, en mal ou en pis. La colère du peuple n'est rien, se solde avec trois sacs d'or un jour de fête, il est infect. Je n'ai jamais acheté aucun de mes lieutenants, aucun de mes gens, je les ai vendus à eux-mêmes, à leur désir secret, à leur médiocrité, à leur mesure, leur ambition mesurée, et le besoin du maître était dans tous les corps que j'ai rencontrés.

Personne pour me dire pousse-toi de mon soleil.

La vie de cour est une mare puante, j'y ai plongé toutes les grenouilles.

Mascambruno ne m'était pas fidèle, il s'appartenait. Et je n'en ai pas fait un martyre, un exemple, qui se fait prendre pour dix deniers mérite la mort, Judas le savait. Il ne m'a pas donnée, on ne peut me trahir, mais je ne l'ai pas offert au peuple en spectacle, comme le duc de son capitaine d'Orco, il n'eut pas à pendouiller sous l'échafaud sous les yeux des crapules de taverne, la bave aux lèvres, par bonté je lui fis proprement trancher le cou dans la cour des prisons de la tour None. À trois heures du matin. À cinq heures, son corps et sa tête sur deux briques exposés au bout du pont Saint-Ange attiraient les mouches et tout ce que Rome contient d'âmes, les Romains. Le cadavre n'est rien.

Ta dépouille, Didi, ta dépouille difforme et gonflée, noircie, liquéfiée par trois jours de putréfaction dans une cave à fromage, ton corps déserté rentré dans sa bière à coups de poings par une bande d'ivrognes détruits et hilares n'est que l'ordre des choses, le revers du pouvoir, le carnaval, l'exutoire. Aux vivants la gloire, aux crevés la fosse. Aussi boueuse que le trône fut doré, aussi comble qu'il fut percé, aussi tassé que l'exercice fut transitoire. Et dans ton corps plus qu'en d'autres encore, dieu sait, l'opinion, que la potence ne fit que passer. Comme dans une vasque, comme je passe par les mille fontaines de la ville, comme je menace, promets, jure, jure, de noyer Rome si Rome m'enlève le masque. Le mien, celui qu'elle porte depuis dix ans, le mien, s'il doit être emporté, qu'il le soit par mes flots, mon feu, la peste que j'invoque, qu'elle lui ferme les portes, que le Tibre par le Nil envahi, par le Danube, l'Amazone, par le Nil Anubis, dio cane que j'invoque, que le Tibre l'emporte !

Si elle m'enlève le masque, je l'arrache de son socle.

Je la raye de la carte.

Je la broie.

Je la défigure.

Je la noie.

Si elle m'enlève le masque, cette ville de théâtre boursouflé, gonflée d'or et de stuc, hérissée de colonnes roides, de colonnes torses, gravées, plantées d'arcs à tout bout de champ grosse d'elle-même et de ses cirques innombrables, bouches et bouches de marbre purulentes, cette ville d'artifices avec sa grosse verrue dorée, sa perruque poudrée, le Vatican, je l'arrache, cette ville de carnaval continu, cette ville masque qui figura l'empire jusqu'à ce qu'il s'écrase, je l'arrache, cette ville masque que les papes remontèrent sur leur face sous les boucles de la coupole, le gros chapeau triple, la tiare, ce masque devant le monde, si elle me l'enlève, je l'arrache.

Si elle me chasse ; dans les flots je l'emporte.

Si elle m'exile, je l'arrache.

Tu peux remettre tes jambes et tes bras Pasquin, je te préviens, je la noie ! Reprends ta fourchette et ton chapeau, siffle tes cavaliers marins, et pose sur ta tête de pierre ma couronne aux armes, ma colombe, les meilleurs nageurs n'y flotteront pas, ce n'est pas un jeu, une naumachie de César, je l'enfonce, c'est un déluge et l'arche est crevée. Prepare-toi les bouées tête de marbre, et ferme ta grande gueule ou tu vas couler !

Il n'y aura pas de faux tritons pour patauger dans la flaque en chantant, pas de nymphes dépoitraillées, d'amphitryons, pas de têtards grouillant, de pétards de fête, sauf le mien, pas d'amusement. Mais de vrais crocodiles sans laisse, crachés du ventre du Colisée, les vrais lions des combats d'arènes, les lions affolés, les hippopotames et lions de mer, les dragons déchaînés, les serpents enfouis depuis l'Antiquité, ceux de Néron, de César, de Trajan, les lions à bouffer les gladiateurs, à bouffer les martyrs, les trirèmes armées jusqu'aux dents, Neptune avec son trident, les rats sortis des caves, les fantômes des catacombes, en bure, en poussière, en armure, la statuaire décapitée de Grèce, les grotesques jaillis des murs, les têtes sans corps ni pied aux queues de poisson, les mufles aux ventres de fleurs mortelles, les taureaux montés par Cybèle, les bucranes couronnés d'acanthe en corbeille, les cariatides des palais et l'âne-pape du Trastevere recollé par tous les membres avec son bonnet rouge écrabouillé. Je vais tout secouer. Comme je suis entrée, je sortirai, en depossesso crescendo, repassant par les trois arcs au campo Vacino, au Campidoglio et devant Latran, à rebours, précédée dans le gouffre par toute la pompe, les mules caparaçonnées de velours, les chevaux blancs, les valets à pied, les valetons, et par ordre comme il convient avant la précipitation de chacun par l'enfer, par les trompettes, les seigneurs cardinaux, les secrétaires, les secrétaires ambiculaires, les notaires et protonotaires apostoliques, les écuyers tranchants, les auditeurs, les aides de camp, les maîtres de chambre, les quatre chapeaux, les évêques, archiévêques, ducs et archiducs, les princes, les pages, les massiers, les palefreniers, les capitaines, par ta litière, les auditeurs, les écrivains, et par toi-même ma sainteté, ma santita, ma santissima cara, vautrée sur ton grabat.

Je t'arrache l'Espagne piazza di Spagna et sa montagne brûlante et sa caverne profonde garantie par les dragons, avec ses pins replantés sur les marches, son taureau de machie pétant les fusées, et avec elle la loggia décorée de Iacomo, son velours damasquiné rouge et sang, les six trombones, les cornets, le violoncelle, le violon et l'orgue, ses trente musiciens noirs et son escadron de mousquets foireux. Je te l'arrache.

Je t'arrache la France campo dei Fiori, la France et sa machine de guerre tirée par les tigres, son carrosse triomphal, sa putasserie de parade royale et son nom de fille aînée, la garce, comme une épine.

Je t'arrache l'Italie devant le palais Borghese, la Rome triomphante, ses missiles et ses pyroboles flamboyants. Je t'y arrache le monde, les quatre continents, Europe, Afrique, Asie, Amérique, avec leurs attributs dans les naseaux, leurs attributs de vassaux.

Je t'arrache l'Histoire dans le teatro di Marcello, la louve de bronze et les deux moignons d'homme qui la tètent, la machine à feu qu'elle recèle, montée sur roulettes, et sous la houle je fais devant les tyrans morts immémoriaux qui lèvent le pouce sur les gradins trois tours d'arène.

Je t'arrache l'avenir en tout lieu.

Et place Navone, je m'arrache avec l'arche plantée crevée sur le mont Ararat, et je plonge le vieil ivrogne dans son vin de messe, qu'il s'y confise, ce n'est pas la vie, c'est Rome que je compisse !

Ça va cracher place Madame, huit jours de long, ça va cracher des flammes ! Les faîtes des palais, les hautes fenêtres verront le feu de l'air monter aux étoiles, illuminer jours et nuits la bulle creuse des coupoles, illuminer jours et nuits les nuages poussiéreux débarrassés des putti, et leurs yeux vitreux verront monter sur leur gorge le flot d'or pur sorti de mes flancs.

Je me torche des draperies. Je me torche des toges.

Comme je me suis torchée des scrupules, des sentiments, ces lavettes. Torchée de la domination.

Jamais je n'ai pénétré dans cette basilique de San Pietro, ce complot, cette conjuration de courtisans, cette machine de décorateurs pétés montés en graine, ce caisson de merde où l'on ne peut se tenir debout, ce caisson qui vous met à genoux, je t'ai laissé sur le seuil Didi, moi jamais, hors de question. Même grimpée sur triple échasse comme le meilleur acrobate ou posée sur trois car-rosses empilés, les membres rallongés par les manches, avec une traîne de cent mètres, un chapeau plus que tiare, trismégiste, trois fois tiare, des chaussures de dix pieds, même transformée en bouffon bourré de paille, animé par soixante tireurs de cordes, même en cheval de Troie aux boyaux garnis d'une armée, même en la plus laide et grosse des montagnes humaines, je ne pénétrerai jamais dans Saint-Pierre.

Ma puissance n'y contiendrait pas. Ma Force ferait voler le baldaquin. Ma Victoire tout le reste.

Je t'ai dit de rempierrer le Latran parce qu'il était à peine un peu grand, que les saints dégueulent des niches, il le faut, un peu d'écrasement, il le faut, mais pour les murs, Borro, le gris et l'austère et garde le plan ! Ainsi les imbéciles de sang peuvent-ils voir dans mon palais que le pouvoir est humain, bien plus large et vaste en personne, et que les plafonds pendus là, gonflés d'artifices mythiques et de soleils pourris sont pendus là pour leur tordre le cou. Que Minerve s'abatte sur vos têtes molles, bougres foutus stronzo de nobles ! Double crème de sperme et cloaque, capuccini de pisse sur jus de chiasse !

Vous voulez des miroirs, vous voulez des jeux, des catastrophes, du pain popolo ? Je vous livre des pierres et par tonnes ! Des galeries pleines de flambeaux, des batailles de taureaux dévorés par les chiens, encadrées d'or fumant, vous voulez la guerre, le château, je vous les donne ! Et qu'y crèvent démembrés et rôtis comme cochons les cardinaux que j'ai placés pour mon règne et qui me bouffent le foie ! J'en épargne Azzolini, que je charge de tourner leur broche sur la terrasse et dans la cour, j'en épargne ce fils de pute de mouche qui peut encore servir, qu'il saisisse le manche de l'écuelle et veille à leur bien arroser les cuissots. Je me les ferai servir à Viterbo, sous la pergola, quand le vent de terre aura tourné et m'apportera les effluves de la chair pourrie entassée dans les murs. Quand l'île Tibérine sera close et cousue par des palissades de bois trempées d'alcool, quand elle servira de crevoir, quand elle débordera dans le Tibre et qu'on ramassera les cadavres dans les rues par brouettes, quand on ne les ramassera plus, quand ils tomberont des ponts, quand les vivants seront pareils aux ectoplasmes, quand le pape refusera de manger, de sortir, quand il se serrera dans les rideaux de sa chambre en tremblant, quand il crachera dans mes vases une boue de suie noire, quand il s'enfuira de Rome comme un rat plein de germes, maigre et plat, la trouille au cul, quand assis sur sa chaise il ne trouvera plus rien de ses génitoires amoindris et que personne ne pourra plus dire et répéter, il en a deux et elles pendent bien, quand il abandonnera la ville à sa perte en laissant pour tout souvenir de sa vie une longue traînée de merde sur le chemin, quand ce jour aura sonné et retenti, je serai moi, je serai en festin ! Alors, comme quand creva le conseiller merdeux qui te tournait la tête, tête de veau mon Didi, je pourrai dire haut et clair, et faire sonner les trompettes et tirer les canons, je pourrai à nouveau le crier dans tous mes couloirs : il est mort et je suis vivante ! Il est mort et je vis, il est mort et je suis ! Il n'y a pas d'autre Force et Victoire. Je règne encore !

Porca Madonna !

La putain Rossana peut aller se faire foutre par les ânes et le messager qu'elle m'envoie – je ferai farcir sa vessie de truie avec le hachis de ses intestins –, il n'est pas question de sauver un liard, de garder des palais, que sa grâce auprès du nain la brise, qu'elle torche les fions qui lui parlent, je n'entends rien, niente, je ne veux pas être sauvée.

Je monte le taureau qui m'arrosera de son sang.

Pour sa tête de chèvre pute en charpie au point du jour de ma Victoire, j'ai fait l'offrande d'un cafard à Mars Ultor qui l'a pris, écrasé dans mes doigts.

Je monte le taureau que j'égorgerai et qui m'arrosera. Je le monte à cru et dût-il me piétiner durant son agonie je l'égorgerai, il m'arrosera de son sang. Mon pouvoir à Mithra. Ma tête sur un plat d'argent s'il le faut, mais je mangerai à ce banquet. Les tripes de veau mon Didi, les boyaux d'agneau fourrés du lait caillé de leur mère, les tripes de Rome à la romaine, les spaghettis de l'Apia Nuova, de l'Antica avec leurs grumeaux, les linguine de la via Latina, de l'Ardeatina, de la Recta, ardentes, brûlantes, égouttées dans la passoire du Colisée, dégoûtantes, et les Romains faisandés comme des anchois en fond de sauce me serviront de condiment. Leurs petites têtes de câpres éclateront entre mes dents ! Leurs petits crânes d'ail en chemise, leurs petites queues de caprin, leurs petits intérieurs de moule, leurs petits pieds de bouc, triturés dans la sauce blanche de leur cervelle, je boufferai tout, cartilage et arêtes, sans vider l'oiseau, comme on fait pour les grives, en le tenant par les tarses, en commençant par la tête.

Pour le chef du nain qui croit me chasser et que j'empeste, pour son chef en gelée sur ma table, j'ai offert à Vesta la vie d'un pou de brebis, elle l'a prise.

Tous ceux à qui j'ai offert ne serait-ce que le demi-fond de mon verre, ont pris. Les huit cent mille têtes de Rome m'ont mangé dans la main, c'est mon tour et je ne pinaille pas, je dévore et je garde le plat. Je prends, je garde, je conserve et je garde, je ne rendrai pas. Pas un diamant, pas une goutte de bave, pas un centième de ce que j'ai englouti. Je ne dégueulerai pas comme Borgia après sa mort pris de remords les litres de sang que j'ai bus. Le nouveau dataire, qu'il s'use les yeux sur ses livres de comptes, qu'il se les frotte, qu'il se les râpe, qu'il y laisse la pupille et le globe, que le souffle lui sorte par le nerf optique pendouillant et que ça prenne du temps, goutte à goutte d'humeur et de bile, je ne rendrai rien. Qu'il s'égosille.

Je ne suis pas romaine, je suis de Viterbe, je ne vomis pas à la fin des orgies. Je conserve et je garde, je travaille, je garde, et si je dois lâcher quelque chose à Rome, ce sera sur elle pour sa perte un vent de peste dans un pet dans un rot.

Je ne fuis pas, je vais boire. Je vais boire à Viterbo les eaux laissées par les volcans capables de détruire les cités, les eaux pleines de soufre des thermes où se sont plongés les papes en série pour prolonger leur vie. Je vais boire le bain où j'ai puisé Force et Victoire à l'aube de mon âge, le bain bouillant et puant l'œuf pourri. Et cette fois, ce n'est pas une gorgée brûlante que je cracherai à la tête d'une mère supérieure interdite, à la tête de mes parents Force et Victoire soufflés, c'est une marée des Enfers que je soulève, j'appelle au soulèvement. Et Rome ne s'en relèvera pas comme Ursule et cette raclure de bidet au nom de pizza, Margherita, la face marquée au rouge, Rome ne s'en relèvera pas.

Je vais boire le bain dans lequel j'ai trempé mes armes, les premières, j'y aspire, je vais les fourbir. Et comme à tous ceux de Viterbe qui m'ont vue naître et grandir, à tous ceux qui ont voulu m'imposer un destin et me poser le joug sur la tête et les reins, je prouverai au monde en lui tranchant le chef caput mundi que le glaive est dans mes mains.

Nanibus Chigi, tu n'es même pas en présence, en autorité, moitié aussi puissant que l'était la prieure à pâte fine qui crut me contraindre et que j'ai bouffée pour mes seize ans. Margherita Iacomucci, fille de grande putain. Dont j'ai beaucoup appris. Margherita Iacomucci, devant qui j'avais prononcé mes premiers vœux, à qui j'avais promis, juré, juré, de prendre son couvent San Martino al Cimino, son couvent et sa ville – je les ai pris. Et avec eux le palais médiéval de Viterbo agrandi par le vieux Pie III en 1503, comme un pape – je l'ai pris.

Et j'ai fait renforcer les murs à San Martino, le chœur de l'église m'a servi de baignoire, j'ai reconstruit autour de mon évier en demi-cercle défensif avec des moellons énormes la cité déclinante, et je l'ai peuplée de forçats tirés des cellules d'Ostia. Et j'ai monté un collège. Et j'ai promis une dot aux femmes qui enfanteraient sur mes terres. Ainsi mes brutes et mes esclaves n'ont pas eu la peine d'arracher au village d'à côté une poignée de Sabines reproductrices. Ainsi mes brutes et mes esclaves, pour la liberté dans mes murs, la chair et la table que je leur ai fournies, comme un capitaine, un tyran, une aubaine, me reconnaissent, me reçoivent. Je mangerai ce soir de leur blé, je boirai de leur vin. Et comme au lendemain de ta création mon Didi, je descendrai avec mon titre princesse de San Martino prendre et reprendre mon palais de Viterbo arraché aux Étrusques et aux cardinaux par ma force, ma force seule, mon pouvoir, et cette fois ce n'est pas le voile d'une Margherita qui volera par-dessus mes remparts, ce n'est pas une femme, une rate de cale, une cage à poules qui hurlera de peur, cette fois c'est Rome.

Qui a moins de mémoire qu'un galérien. Moins de mémoire et moins d'estomac qu'un chien.

Je ferai place nette du chenil qu'aucun tyran avant moi n'a voulu détruire. Et le Ponant balaiera les sept monts chauves de ce trou de cul avec un frisson de plaisir.

Tu peux serrer la tête de mort que le Bernin t'a sculpté dans le marbre Chigi, la serrer sur ton cœur, dans huit jours c'est la tienne et j'y mettrai les doigts, je l'embrasserai sur les dents. Tu peux sortir ton cercueil de dessous ton lit, tu peux déjà t'asseoir dedans. Prends tes cochonneries de pénitent avec toi, ton François de Sales, tes médailles et tes méditations sur l'art de bien mourir, il est juste temps. Prends-les dans ton giron, rumine, marmonne, fais les gestes, sonne tes cloches, et s'il reste assez de ta peau après ma peste, je la ferai monter par un Kircher en statue parlante, je la mettrai en caisse et je l'enverrai à Christine en Suède ou en Suisse pour qu'elle te voie, toi, le résidu Chigi, dans ta meilleure forme, la seule. Pantinus crétinus. Pour qu'elle voie de quoi sont faits les papes depuis leur invention, de quelle étoffe.

Si je ne t'éliminais pas dès maintenant, tu laisserais à la sainte chaise un déficit de cinquante millions où j'en laisse quarante, sale morveux de petit-fils de banquerou-tiers, l'atavisme ! tu volerais les colonnes du Latran pour les mettre à Sienne dans une chapelle à ta gloire autour des saints chose et surchose, tu vendrais ta ville à la madone qui n'a qu'en foutre mais moi je viendrais de Pérouse et Florence avec un bras tout armé et je t'arracherais des créneaux par ta robe, te ferais bouffer ton chapeau et cracherais sur ton acte notarié à la madonna del Voto. Aucune conjuration de curé, marmonne, mar-monne, d'aussi loin qu'elle remonte, aucune ruse de pieux ne pèse devant ma volonté plus qu'un pet du cheval de Marc Aurèle.

Débiles profonds ! Quel dieu apposerait sa signature sur un bout de cuir crevé ? Quel homme respecterait un contrat signé par une seule de ses parties ? Qu'avaient-ils dans la tête tes dignes aïeux pour pondre cette injure et l'encadrer d'or et la pendre sur un clou dans leur duomo de zèbres, et penser que ça les sauverait de la perte ? De la ricotta ? De la merde ?

Madame madonna del Voto, si je perds Sienne à la bataille de Montaperti, je vous la donne.

Nous, notables, chevaliers, preux, gens de robe et propriétaires, nous l'attestons. Si nous perdons Sienne, nous l'offrons à la madone. Ainsi nos ennemis les Florentins seront bien roulés. Car la madone repliera la ville dans sa jupe et les secouera comme des puces et les fera tomber. Et la madone quand la ville aura été secouée et débarrassée de ces diables hérétiques sodomes et parjures, la madone la remettra par terre comme elle était. Et nos enfants en graine dans les collines reviendront y habiter. Ainsi soit-il. Débiles profonds ! Pauvres et mesquins, des banquiers. Toute ta race, des encaisseurs, des caissiers, des parieurs de rien, des vents, des bouses. Des pauvres et des crétins sans grandeur, pauvres et médiocres qui ne savent qu'offrir ce qu'on leur prend. Comme tes pères au vainqueur, Chigi, tu viendras me rendre la chaise avec tes frusques et tes os. Tu m'apporteras ta tête, à genoux, bavant d'espoir, ta tête de noix sur la dernière charrette de Rome. Et tu me débiteras la généalogie du poireau, poireau Chigi, pour ta grâce pendue à la mienne, à mon pouvoir, poireau, carotte, bâton et leurs ascendants, tu remonteras jusqu'à Adam, Ève la truie, la bouffeuse de pissenlits, jusqu'au fruit moisi qui pendouille au fil de ton destin, à rien, ça ne te servira pas, tu t'écraseras devant moi comme un kaki, et je te mettrai dans un pot, compote, et je te jetterai dans les flots. Et ta chaise à porteurs à trou, ta chaise à chier la sainteté, j'en fais des bûches.

Tu fus bien inspiré de pleurer en t'as-seyant sur l'autel le jour de ton élection, de pleurer comme un saint, de t'asseoir tout au bord, imminentes et dures sont ta chute et ta mort.

Et tu peux ramener Rome derrière toi et me la tendre, tu peux la ramener en offrande, me prier, me supplier de la reprendre, je la noierai.

Je ne pardonne pas, rien, personne, rien à personne.

Ce qu'on m'ôte, je le broie, je ne l'offre pas. Ce qu'on me prend, je le détruis, ce qu'on m'ordonne, je le nie.

Je ne suis pas romaine, je n'appartiens pas à la race des chiens canis canem, tu ne m'apaiseras pas avec un morceau de viande. Je ne suis pas de Rome, je ne viens pas d'elle, j'ai été élevée comme Cybèle sur la colline par un fauve, la panthère, deux infans bargouillants nourris sous une louve pelée ne peuvent pas me montrer les dents. Ne peuvent pas me rassasier. Je la noierai. On ne prend pas un pouvoir qu'on ne peut supporter, Judas le savait. Je la noierai.

Par toutes ses bouches, bouches et bouches de marbre purulentes, la noierai, l'eau giclera, j'appelle au soulèvement.

J'appelle Marrana Mariana, l'acqua Iulia, l'acqua Felice, la Claudia, la Paola, l'acqua Vergine, l'Appia, l'Anio Vetus et Novus,
   je vous appelle,

mes gouttes, mes ruisseaux, mes eaux enfouies et jaillissantes, mes larmes, mes sombres torrents, mes tonitruantes,

je vous appelle et j'appelle du tréfonds de vos plis grondants les nymphes qui vous habitent, les Naïades, les Potameidi, les Krenee, les Limnadi, des ruisseaux, des fleuves, des fontaines et des étangs,

je t'appelle, Egeria, noble Camene, grande nymphe des sources aux fines chevilles, grande et belle,

je t'appelle, Juturne et ta gens Fonteia et ton fils aux boucles cascadantes,

je vous appelle, vous, les trois mille filles de Téthys et d'Okéanos enfantées dans la joie, Métis, Eurynomé, Télesto aux voiles safranés et vos sœurs radieuses enfants des déesses, je vous appelle à déborder des lacs Bracciano, Albano, Nemi, des monts Albains, de Viterbo,

et je t'appelle, Styx, océanine éternelle, fille de Pallas qui enfanta mes parents Force et Victoire et leurs sœurs Zèle et Pouvoir,

je vous appelle, claires et furieuses déesses, à sortir du Tartare brumeux, de vos lieux moisis et infects qui font horreur aux dieux, du pot puant où vous gisez immortelles avec les extrémités de tout, les sources et les racines de la terre noire, de la mer et du ciel étoilé, à sortir du Tartare

je vous appelle,

à jaillir de la répugnante demeure du puissant Hadès et de Perséphone la redoutable, de la niche affreuse, de la bauge et du chenil boueux du chien monstrueux qui vous garde,

je vous appelle à resurgir des abîmes immenses où vous reposez, noires et furieuses marées, déesses tourbillonnantes aux remous profonds,

je vous appelle à resurgir, au souvenir,

à marcher sur Rome, regina acquarum, comme Zeus sur son père, à vous montrer envers elle abondantes et généreuses, à débonder, de vos aqueducs et de vos lits, de vos cours à déborder,

je vous appelle à rouvrir les plaies des piscines limaria englouties, les plaies de Dioclétien, des piscines, des bassins enfouis, des bassins d'Antonin, des réserves de Trajan, de Claude, de Caracalla, des thermes effacés, à rouvrir la plaie bouchée par Sixte Quint du septizonium de Sévère, la plaie occultée du lacus Decennii,

je vous rappelle à la mémoire, Felice, puissante source de Claudius,

à la mémoire puissante Virgo qui désaltéra les armées d'Auguste !

à rejaillir aux débouchés des aqueducs, à rendre à Rome ses bienfaits au centuple,

à démontrer par les bouches et les puits, les mostre, les fosses, les trous qui vous sont réservés,

à démontrer Force et Victoire qui sont miennes, mon pouvoir, mon autorité.

Par toutes les bouches que les Pont Max qui m'ont précédée ont baptisées, je la noie, l'immense salope pourrie de mouches qui crut sécréter la civilisation je la noie, la triple maiale, l'abominable, la grandissime prostituée qui usurpa le trône de ses tyrans, sur qui tous sont passés, qu'elle a floués, retournés, bouffés un par un d'appétit dévorant, rassasiée d'aucun jeu, d'aucune fête, d'aucun faste, la poudre d'or dans les arènes du Colisée, qu'elle a tous baisés par la promesse, je me souviendrai de toi, qu'elle a vendus à eux-mêmes, à leur orgueil démesuré, à leur pouvoir, je garderai ton nom dans ma gloire, alors qu'il ne reste qu'elle, le trou de discorde, elle et son vide monumental, la casserole, je la noie !

Qu'aux pieds de Minerve la bondissante Iulia tonitrue,

qu'elle dévale les marches blanches,

qu'elle dévore la via Venanzio,

qu'elle dégringole du Capitole dans la vallée du forum,

que le géant Marforio s'arrache les tétons, qu'il en jaillisse un autre bras Iulia, démesurément long,

qu'il l'écrase sur la piazza d'Aracoeli, sur la tête des lions qui crachent en bas des escaliers de la Santa Maria du même nom,

et qu'en tous points, aux quatre coins, sur tous les monts, les eaux jaillissent et planent et convergent dans l'archaïque Vélabre comme dans un siphon.

Que l'acqua Vergine, la grosse Virgo nourrie à Salone, gonfle et déborde Tor Sapienza, Bocca di Leone, gonfle et déborde les laghetti villa Ada, villa Giulia, qu'elle en expulse les nymphes pétrifiées, revivantes, ronfle et déborde villa Borghese, villa Medici,

qu'elle la noie,

qu'elle enfle dans le bassin enfoui sous les pierres, enfle et déborde et déboule rugissante piazza di Spagna sur ses escaliers d'apparat, enfle et roule via dei Condotti emportant la barcaccia du Bernin,

qu'elle crache via del Babuino par la bouche du Babuino vêtu de pustules,

qu'elle croisse, qu'elle gonfle, qu'elle gonfle dans les sarcophages du Pincio, dans ses vasques,

qu'elle croisse piazza del Popolo et submerge les grenouilles.

Que la Paola dégueule sur le Janicule par ses trois bouches de crache.

Que le Triton rue du Triton fasse sonner sa conque en torrent, en geysers branlants, que la masse de son jet en tombant détruise les palais, s'engouffre largo Chigi, palazzo Chigi, s'engouffre et monte sur la colonne d'Auguste comme au mât d'un navire crevé perdu.

Que les quatre fontaines au carrefour se réveillent, qu'elles déversent aux quatre coins les eaux torréfiées de la Tepula oubliée qui sommeille, qui sommeillait, qui se réveille, la Tepula brûlante jaillit, débouche et rase la via Sistina, la via Frattina.

Que l'arc de Sixte Pontifex au bout de via Giulia avec ses dragons bourgeois qui crachent sous les obélisques, les crache jusqu'à l'Euphrate.

Que les baleines de l'église Sylvestre au chapitre, Jonas et Jonas, remontent la rue de la poste à grands coups de dorsale.

Que pissent au plus haut des cieux les urbaines étoiles et les lions.

Qu'il pleuve.

Que dans toutes les maisons, cours et courettes, les tonneaux, les masques, les dragons, les vasques suintent et transpirent.

Que le Facchino s'enivre et répande son vin translucide.

Que l'acqua Felice dans sa mostra encadrée de légionnaires en cuirasse, de paysans, de moutons, s'effondre sur Paulus Pont Max et son Moïse à double menton, double corne de barbe et cheveux, qu'elle l'inonde.

Que la navicella tombe du Coelio démontée par la Marrana Mariana, devancée par les six boules de son emblème arrachées, cascadantes.

Que le Tibre s'enfle.

Le Tibre, le flumen Tiberis, ramo destro, ramo sinistro et la Renella,

qu'il s'enfle,

qu'il bouffisse,

qu'il avale le trésor de blé des rois maudits, la Tibérine, qu'il l'engloutisse,

qu'il gonfle,

qu'il enfle et monte aux murs des quais, aux piles des ponts,

qu'il dévore le ghetto et le portique d'Ottavia,

qu'il franchisse l'Aventin comme un Rubicon,

qu'il entre en armes dans l'enceinte et l'emporte sur la toge et la pourpre,

qu'il gonfle, qu'il s'outre, qu'il s'ouvre et rejoigne la fosse de l'épouse de la vallée des Enfers, la cloaca et la cloacula, qu'à mes quatre fleuves il s'arrime,

qu'il s'adjoigne le Danube et le Nil, la troupe des Amazones déferlantes,

qu'il s'avance, outrepassé, qu'il s'avance comme l'Arno à Florence pour noyer le déluge lui-même.

Voir ça. Putain le voir.

Voir mon dernier soupir et tes lauriers en cendres

Moi seule en être cause

Olimpia Maidalchini

papesse

Olimpia Maidalchini naquit à Viterbe le 26 mai 1592 – ou selon une tradition moins sûre puisqu'elle en fut la source, le 26 mai 1594 – de Sforza et Vittoria Gualtieri.

Son père fut un administrateur borné aux ordres d'un Gualtieri plus chanceux, et sa mère un tendron rose et blanc auquel ne manquait ni la cour ni la pourpre de Rome qu'elle situait aux confins du monde vivant. Leur société tenait dans trois rues et quelques relations en rapport à leur envergure, dont la plus influente était monsieur le curé et secondement le cousin Giulio qui portait les gants le dimanche. De pauvre culture et de médiocres moyens, les Gualtieri n'en connaissaient pas moins les usages, ils placèrent leur fille au couvent San Domenico quand elle eut passé sept ans. Elle y fut grossièrement alphabétisée sous la double férule des sœurs Orsola et Margherita Vittoria, et soit d'instinct soit pour avoir observé certaines contradictions entre la règle et son application, elle en conserva une grande méfiance pour les choses écrites. Cette instruction la dota des connaissances lacunaires propres à la noblesse du temps et de la faculté de se mouvoir avec grâce parmi les habits ecclésiastiques. La piquante désinvolture dont elle fit montre aux pâques de 1604 révolutionna Viterbe et lui valut deux jours de sermon. C'était son premier succès public et l'ivresse jalouse qu'elle vit dans les yeux des sœurs décida de sa vocation. Elle deviendrait sainte à Rome, pêcheuse d'hommes comme Simon, elle multiplierait les pains dorés et tous la suivraient, la servant comme une reine. Cinquante-trois ans plus tard, au seuil de mourir dans un palais déserté, elle se rappellerait ce vœu avec le contentement des esprits dont le destin s'est accompli.

La mère supérieure manqua se noyer un matin d'été dans un des bassins d'eau sulfureuse des thermes réservés aux moniales, alors qu'Olimpia surveillait ses linges. Après cela, cette dernière n'eut plus à répéter les fugues dont elle était coutumière et que rien ne guérissait. Elle épousa dans l'année Paolo Nini, hypnotisé, seul héritier d'une riche famille viterboise. Elle le perdit au terme de trois ans, quelques mois avant le fils qu'ils avaient eu sous les meilleurs auspices. Sa rage lui fit courir les bois et grimper les montagnes, elle vit sa ville natale à ses pieds enfoncée comme un clou dans la tapisserie de la vallée, son horizon décupla. Elle regarda, le soir, dans la vapeur bleue des lointains, se détacher du nord les nuages chargés d'or et de poudre et pensa à Rome comme à une vesse-de-loup menacée par l'élan de sa bottine.

Sa condition de jeune veuve, unique héritière des Nini, lui ouvrit les portes des meilleures maisons de Tuscia. Elle les ferma doucement l'une après l'autre et déclina les avances les plus tendres ou les mieux calculées jusqu'à ce que son oncle Paolo Gualtieri saisisse la finesse de ses vues et présente l'agréable jeune femme sa nièce qui l'étonnait au cinquantenaire Pamphilio Pamphili. Son nom redondant lui ouvrit le lit d'Olimpia au moment où elle l'entendit car elle reconnut là, mieux qu'à la fraise amidonnée qui agrémentait le col du promis, la marque d'une assise solide propre à supporter son poids à venir, toujours croissant. Elle s'attela avec une précision d'orfèvre au contrat de mariage qui devait l'unir à la vieille noblesse romaine. Elle y passa des nuits entières, les doigts tachés d'encre, dans une sorte de frénésie glaciale, relisant chaque clause et biffant, ajoutant, retranchant ce qui devait l'être. Il fut signé à la fin de 1612 par un Pamphilio au sourire subitement crispé sous les moustaches travaillées qui tentaient de le camoufler.

Alors, Olimpia Maidalchini Pamphili ne connut plus de repos.

Elle jugea son mari tel qu'il était, frivole et vain, de plaisante compagnie, et le laissant à ses oisivetés elle s'abattit sur la société romaine, les nobles, les dames, la cour, les gens de robe, approchant petit à petit le pouvoir et s'attachant par ses conseils avisés, par la grâce, par les mines, son beau-frère Giovanni Battista, simple auditeur consistorial. Il était laid autant que son frère était attrayant. Les attentions que la belle Olimpia avait pour lui, l'impuissant puîné, l'ambition qu'elle lui insuffla, lui transperça le cœur. D'une main elle faisait embellir et consolider le palais familial place Navonne, avec sa dot, l'argent qu'elle apportait, de l'autre elle caressait la maigre barbe de Giovanni et lui montrait en songe l'avenir qu'elle lui prêtait, plus brillant, plus rouge qu'un chapeau de cardinal. Le pauvre Giovanni sortait de ces entretiens le sang harassé, l'œil étincelant. Sans oser y croire, il accueillait les visions de sa belle-sœur comme les signes d'une amitié sincère. Quand il fut nommé auditeur de rote puis nonce, grâce aux menées de son inlassable parente, à ses subtiles apparitions, il se vit perdu, débiteur, dépassé, homme de peu de foi. Dans sa joie, il pria son frère et sa femme de l'accompagner à Naples où le portait sa charge.

Gantée de velours jusqu'au coude, Olimpia plongea le trio dans la vie napolitaine, mondaine et pieuse, laissant sa fille nouvelle née aux nourrices et la discrétion à leurs chiens. Elle s'imposa partout, en ville, à l'église, dans les conversations des dames, dans la pensée des cavaliers. Les abbés louaient sa bonté, elle était large. Pendant l'hiver 1619, il lui naquit enfin l'héritier mâle qu'elle attendait. Elle veilla à ce qu'il survive et le prénomma Camillo. Le linge et le lait ne lui manquèrent pas, il passa dans les salons les mieux cotés et connut dès cette époque les longues nuits solitaires et surveillées qui devaient être son lot d'amour pour les années à venir. Sa mère, vigilante en tout, saurait longtemps le montrer à bon escient et le protéger des influences aussi bien que de la grippe espagnole. À vingt ans, Camillo Pamphili ne pourra toujours pas lire autre chose que son nom sur les parchemins paraphés par son oncle.

À Naples, la Maidalchini fit calculer l'horoscope de son beau-frère par deux astrologues concurrents qui s'accordèrent : Giovanni Battista était promis aux plus hautes distinctions mais il avait besoin de temps. Elle paya pour les prédictions, elle paya pour les messes basses dites à Santa Chiara pour la longévité d'Urbain VIII. Elle paya aussi pour l'égorgement d'un bouc dans le quartier Forcella où la fortune est sensible aux offrandes secrètes plus sanglantes que l'hostie. Dès lors, on parla de ses brèves colères monumentales et de sa piété comme de bras puissants capables de porter une famille entière à la gloire.

C'était oublier sa patience. Réglée comme sa vie domestique, ascétique, prévenante.

Quatre ans d'intrigue diplomatique l'avaient suffisamment formée aux alliances. Quand Giovanni Battista prétendit exercer seul sa nonciature en Espagne, elle le laissa partir et retourna à Rome avec sa bénédiction, et son mari, Pamphilio Pamphili, dont elle n'attendait plus qu'un second héritier mâle qu'ils n'auraient pas. Costanza, qui naquit à sa place, supporta le poids de ce manquement pendant de longues années de couvent avant d'être mariée par le pape à Ludovico Ludovisi, prince de Piombino, en grande pompe, parmi les cris muets des damnés de la chapelle Sixtine.

Tandis que son beau-frère multipliait les faux pas auprès de Philippe IV, elle distribuait aux pauvres, par les mains de la daterie, et recrutait les peintres pour la grand salle du palais de la place Navonne. Les lettres de Giovanni devenaient de plus en plus désespérées, pressantes. Elle y répondit deux fois en cinq ans et deux fois le tira d'une mauvaise affaire. Il revint convaincu de son idiotie, elle lui promit la pourpre. Et l'obtint quelques mois plus tard en lui conseillant de paraître désormais moins talentueux et plus imbécile, à l'image de Sixte Quint en son temps. Pendant les jours qui suivirent l'élection de Giovanni au cardinalat, tout ce qu'elle vit lui sembla rouge. Dans cette brume, elle donna une fête dans son palais place Navonne où elle reçut la noblesse en maîtresse, en reine, concédant à chacun le droit de parler après elle, à ses filles celui de se taire. La statue de Pasquin, érigée au coin du palazzo depuis deux siècles, commença de médire de dona Olimpia, la Maidalchini, et de son faible beau-frère, elle s'en réjouit.

Elle loua des espions et recueillit les rumeurs.

Elle loua des fauteurs pour répandre quelques bruits. Son mari mourut. Elle maria sa fille aînée l'année suivante à un Giustiniani, héritier ducal, correctement argenté. Et au début de 1644, elle entreprit de remonter les filets qu'elle avait posés trente-deux ans auparavant.

Les messes pour la santé d'Urbain VIII ne furent plus dites à Santa Chiara et la mort, ponctuelle comme un astre, emporta le pape Barberini. Le conclave s'ouvrit, dura. Elle paya en or tous ceux qui devaient l'être. Elle caressa les Espagnols que Giovanni avait dégoûtés. Elle flatta les Français qui voulaient le chapeau que Giovanni leur avait refusé. Elle rédigea les vers des pasquinades incendiaires qui circulaient dans la ville en liesse contre le pape défunt et sa famille de larrons. Elle jeta des sacs de pièces aux masques qui menaient le carnaval outré de l'interrègne. Et d'autre part, elle fit vider de ses objets précieux, de ses étoffes et de ses peintures son palais de la place Navonne.

Ainsi, l'homme dont aucun parti ne voulait, ce Giovanni Battista Pamphili, dénué de tout charme, maigre, acerbe, chauve et rouge sous le poil, qu'une verrue défigurait et qu'une femme faisait trembler, fut élu pape le 14 septembre sous le nom d'Innocent X.

Ainsi s'ouvrit le règne d'Olimpia Maidalchini.

Et les Romains venus au pillage rituel des appartements du nouveau pape trouvèrent le palazzo vide et froid. Ils ramassèrent quelques bougeoirs d'étain sous l'œil flambant de la dona, enveloppée de fourrure au seuil de l'étage noble. Ils firent dire à Pasquin qu'elle était austère et matinale et que si elle laissait le Vatican en cet état, l'Église était perdue. À nouveau, elle s'en réjouit.

Le soir même elle reçut les patriciens dans ce dénuement calculé et tous comprirent que les cordons du pouvoir étaient dans ses mains. Et elle fit, ponctuellement, ce que les papes avant elle avaient fait.

Elle régla le possesso. Elle commanda les arcs de triomphe, la messe solennelle à l'Aracoeli, les machines hydrauliques et pyrotechniques. Elle distribua douze mille écus et douze autres pour la fête théâtrale et la splendeur des processions. Elle ordonna la cavalcade et dessina son parcours. Trois mille hommes en costumes, cinq cents chevaux, le crucifix et la litière de Sa Sainteté défilèrent devant son palais place Navonne, sous la haute fenêtre où elle se tint, des heures durant dans le froid mordant, et le pape qu'elle bénit la salua de sa main gantée.

Elle fut, en ce jour triomphant et par la suite en son règne, la pourvoyeuse des fêtes monstrueuses que les Romains adoraient.

Et premièrement, elle travailla à consolider la puissance financière de la famille qu'elle menait. Innocent X signa un testament qui la produisit unique héritière de ses biens personnels. Les palazzi des Barberini furent confisqués, l'Église ouvrit un procès à leur encontre pour vol et spoliation, exigeant le remboursement de trois millions d'écus. Elle fixa le tarif des offrandes à un tiers des bénéfices de la charge requise. Elle leva deux impôts nouveaux et se fit verser celui des maisons closes. Elle fit payer pour tous les actes du gouvernement, pour les grâces, pour la justice, et nomma sous-dataire sa créature l'avocat Mascambruno, habile aux écritures. Lequel fabriqua de nombreuses et magnifiques bulles qui avaient toutes les apparences de l'authenticité. Elle promut Camillo son fils ignorant cardinal-neveu, commandant de la flotte pontificale, premier membre du gouvernement.

Les souverains, les requérants, les courtisans la visitèrent les bras chargés de présents disposés sur des plats d'or et d'argent. Son palais place Navonne devint l'antichambre du Vatican où se réglaient les affaires courantes. Elle assistait néanmoins aux délibérations de la curie dans une alcôve attenante à la salle du conseil, protégée par une tenture de soie. Dans les appartements du pape, elle vérifiait les draps.

Son portrait la figurait dans tous les palais des cardinaux. Et sur les murs des églises, on commença de lire en vers brefs

« Olimpia primus, pontifex maximus ». En 1651, l'ambassadeur vénitien Giustiniani la décrivit comme une femme agréable, de belle conversation et de bon conseil, capable de gouverner, vendant tout à qui veut l'acheter, indifférente à tous les princes. On la voit, dit-il, entourée d'une bande d'entremetteurs, d'écorcheurs. De pirates. Et elle se tient, au centre de ces gens qu'elle nourrit de ses miettes, comme une déesse de chair aux colères redoutables.

Camillo son fils en fit l'épreuve lorsqu'il vint la trouver dans sa chambre après qu'il eut pris la première et peut-être la seule décision de sa vie d'homme : abandonner la pourpre au profit du mariage. Il vit sa villa du Bel Respiro ornementée par l'Algardi immédiatement réquisitionnée, l'accès aux fonds de sa mère refusé, sa future femme, Olimpia Aldobrandini, titrée princesse de Rossano, qui tenait dans ses mains blanches la fortune de trois grandes familles romaines, conspuée et maudite par tous les saints. Le couple fut banni de Rome et condamné à l'exil à Frascati, dans les domaines de la noble traînée Aldobrandini qui enlevait à la mère en son fils un accès direct à l'exécutif et son espion le mieux placé. Qu'elle s'appelât Olimpia également ne compta pas pour rien. Ni qu'elle fût charmante et lettrée et capable de diriger sans conseil ses biens immenses.

Pour contrer ce revers, la Maidalchini offrit le poste que son fils venait de trahir à son plus inapte neveu qui donna du cul dans les candélabres lors de sa première apparition et qu'Innocent X lui-même la pria d'ôter de sa vue : « Il est plus laid que moi. » Comme une brume sur une terre gorgée d'eau, le scandale se levait.

Politiquement, elle eut à cœur l'intérieur et de faire converger les liquidités dans ses bassins profonds mais sa passion fut celle de la pierre. Place Navonne, elle acquit successivement la maison de l'avocat Teodosio di Rosi, le palais de Simone Cybo, prince de Massa, le palais Mellini, en place duquel fut érigée l'église Sainte-Agnès patronne des Pamphili, la maison Rivaldi qui devint le collège Innocent, et le palais Aldobrandini qu'elle fit détruire pour conférer à la place l'ovale parfait d'une nef de pleine mer. Hors de Rome, elle fit construire une villa suburbaine entourée de jardins. Elle investi San Martino al Cimino, transforma l'abbaye en palais de cour, y fit mettre un théâtre. À Viterbe, elle posa sa marque au centre de la cité, faisant remanier le cœur de la ville par son architecte Marc'Antonio di Rossi. Les bouleversements y culminèrent avec la transformation du palais abbatial dont elle prit possession en 1654 par la grâce de son nouvel état, princesse de San Martino.

Simultanément à Rome, elle demandait à Borromini une maison pour ses vignes de Saint-Pancrace. Le sculpteur pétri de traités mathématiques présenta à Son Excellence le récit d'une forteresse percée de trente-deux fenêtres s'arrêtant aux trente-deux dimensions des vents. La chambre ronde devait reproduire l'orbe céleste à l'exemple de ce qu'avait fait Néron au Palatin et les jardins inondables pourraient être parcourus à pied sec le matin et en petites barques après le repas. Il y adjoignit une arche de Noé pleine de vrais animaux de tous genres et l'expression d'une prudence ambiguë dont l'ironie n'échappa pas à Olimpia Maidalchini : « Si les choses dont je viens de parler semblent des idioties au jugement parfait de Votre Éminence, attribuez-en la faute à vous-même, pour avoir demandé son avis à l'idiot que je suis. ». Du fait de cette insolence, le Bernin fut autorisé à concourir pour la fontaine de la place Navonne et revint en grâce. La Maidalchini inaugura le 12 juin 1651 la fontaine des Quatre-Fleuves comme le bijou de travertin et d'eau claire qui mettait l'ultime et somptueuse touche à son grand œuvre. Les Romains réclamaient plus de pain et moins de pierre. Pour leur édification, elle commanda au savant Kircher un traité sur les hiéroglyphes de l'Obeliscus Pamphilius, sorti du temple d'Isis pour soutenir droit du cœur de la terre et ceint du Danube, de l'Amazone, du Tibre et du Nil, la colombe au rameau d'olivier et les trois fleurs de lys de la famille Pamphili. Régnante. Des statues parlantes de Rome s'échappa un bourdonnement nostalgique étouffé qui fit penser au peuple que les trois abeilles des Barberini n'avaient pas été les mouches voraces qu'on avait dit.

La rumeur du scandale enflait et bruissait, gonflée d'échos.

On se souvenait du jubilé de l'avril précédent où les jeux artificiers, les lampes, les feux qui cernaient et sautaient du théâtre de la place Navonne, de chacun de ses arcs en bois peint qui en soulignaient le dessin, de l'énorme structure triomphale surplombée de tours et d'une coupole de marbre vert dont les flancs camouflaient un chœur de soixante musiciens, de l'autel de bois tendu de toiles peintes illuminé de mille cierges, avaient agité aux yeux du peuple le spectre antique de l'incendie. On se souvenait que la Maidalchini avait passé la porte sainte aux côtés d'Innocent X, un pas plus avant. Qu'elle avait fait porter les reliques de sainte Françoise romaine, très aimée, en son fief de Viterbe.

Le voile du scandale se déchirait et laissait voir la figure du pouvoir, chaque fois plus nu.

Une monnaie fut frappée et circula dans les salons, qui montrait dona Olimpia tiare en tête sur sa face et le pape Innocent X au revers, les cheveux tressés, fuseau et quenouille dans ses mains croisées. Devant Cromwell, on joua une comédie dont l'épilogue était une valse dansée par des moines et des moniales appariés, *The Mariage of the pope*. À Genève, les libraires affichèrent des gazettes aux titres boursouflés relayées ou nourries par des écrits romains signés de vrais abbés sous de faux noms. Une Description des fêtes célébrées à Babylone pour le mariage du loup et de la louve, IX et DOM fit le fond des prêches des pasteurs réformés : « Il existe une femme, mes frères, vêtue de pourpre et d'écarlate, parée d'or, de pierres précieuses et de perles, tenant à la main un vase d'or plein des abominations et de l'impureté de sa fornication, horrible breuvage, et cette femme, mes frères, c'est la grande prostituée, qui n'en a pas entendu parler ? Elle habite Babylone et parcourt sept montagnes assise sur une bête immonde qu'elle mène et dirige à son gré en la gouvernant avec un spectre enrichi d'escarboucles, qui n'a pas entendu parler de l'infâme Olimpia Maidalchini ? ».

Papesse, impie, courtisane, prostituée furent les noms qui la désignèrent alors dans les murs de Rome et dans les cours d'Europe. Au faîte de sa gloire. Et comme un tyran bien-aimé frappé par la fièvre, un général manœuvrant sur un champ de bataille empoisonné, la Maidalchini ferma son palais et sa vie prit la forme d'une retraite.

Sans paraître, elle fit marier sa nièce au prince Maffeo Barberini afin d'apaiser les Français et de sceller la paix entre leurs familles papales. Elle écarta des grâces du pouvoir sa belle-fille Olimpia qu'Innocent X avait rappelée d'exil prenant prétexte de la naissance de son petit-fils politiquement baptisé Giovan-Battista. Elle fit prendre l'avocat Mascambruno pour faux et détournements, avec lui une piétaille qui la servait, et son corps exposé en deux pièces convainquit les Romains. Elle obtint par menaces et promesses que son ennemi Panzirolo lui délivre lui-même les minutes des conseils où elle ne se rendait plus. Elle précipita la chute d'un cardinal, en éleva un autre, évita aux États de l'Église une guerre ruineuse et sans honneur. Puis elle s'en fut à Viterbe, laissant le soin au pontife de publier son retour en grâce en la visitant.

Elle le reçut dans ses vignes aux raisins violets et lui baisa la main. Le pape Innocent pour cette femme fut inondé de pitié. Elle rentra au Vatican en carrosse, précédée de l'aura des vainqueurs, pour appendre la disparition du cardinal Panzirolo qui l'avait tant contrée. Alors, elle traversa les salles jusqu'aux appartements du pape, le voile gonflé derrière la tête, s'exclamant dans le vide des couloirs et des antichambres résonnantes, sauvage, il est mort et je suis vivante ! Et elle reprit ce qu'elle n'avait jamais perdu.

Le commerce des charges connut un renouveau. Il fut rappelé à une multitude de petits couvents un décret de 1652 qui les sommait de se racheter ou de se dissoudre. Beaucoup d'abbés firent le déplacement, qui furent reçus. Les bulles, d'une authenticité désormais sans faille, atteignirent des prix somptuaires, à proportion du grain et de l'huile. Et les bouches de marbre, placées sous la vigilance des gardes corses, ne s'ouvrirent plus que sur de maigres soupirs.

Le peuple et la cour rongeaient leur frein. Le pape déclinait. On l'entendait tousser et se plaindre dans sa chambre du Quirinal que l'été n'épargnait pas. Au plus fort de la chaleur d'août, la place Navonne fut inondée mais l'air qui s'en dégagea fut déclaré fétide et malsain. La Maidalchini s'irrita de voir les carrosses et les charrettes des nobles et des roturiers fendre ses eaux pour laver leurs roues. La place fut débondée puis interdite. Le ponant se leva pour éparpiller les miasmes. Le pape prit froid.

Du moment où il s'alita jusqu'au jour de sa mort, la Maidalchini ne le quitta plus. Elle renvoya les médecins et choisit elle-même ses écuyers tranchants, goûtant les bouillons, écartant les potions, jugeant des visites et de leur durée, retapissant la couche pontificale qui sans cesse s'effondrait. Aux heures calmes, elle vérifiait les papiers. Avec la même impatience, brûlante et retenue, la même prévoyance, la volonté intacte, le dégoût qui lui avait permis de reprendre et corriger le contrat de mariage qui l'avait soutenue quarante-trois années auparavant jusqu'à ce qu'elle atteigne et s'asseye au siège du pouvoir, par sa force, sa force seule et la conscience absolue qu'aucune autorité, jamais, n'aurait prise sur la sienne.

Dans sa dernière agonie, Giovanni Battista, parce qu'elle le toucha au front, se crut arrivé au séjour des bienheureux. On le trouva mort le 7 janvier 1655 dans un lit d'où les parures avaient disparu.

Aux messagers du Vatican qui la visitèrent en son palais place Navonne pour fin de régler les cérémonies funéraires de son parent défunt, elle fit répondre qu'elle ne pourrait pourvoir aux frais, n'étant qu'une pauvre veuve, affligée.

Ainsi le corps de l'homme qui avait été chef de l'État connut-il un enfouissement sommaire que sa bague paya. Comme il aurait connu, s'il avait été exalté au temps de Sixte Quint, l'humiliation vivante de s'asseoir successivement sur trois chaises percées devant Saint-Jean-de-Latran.

L'interrègne fut une foire. Le pasteur est mort, il reste la vache ! Et le conclave une foire d'empoigne où les créatures et alliances de la Maidalchini ne lui rendirent pas son poids. Au terme de soixante-dix-neuf jours de politique acharnée, l'ancien secrétaire d'État, Fabio Chigi, fut élu par adoration le 7 avril 1655 sous le nom d'Alexandre VII. Et le 8 avril, après avoir refusé les deux vases d'or apportés en hommage à Sa Sainteté par l'officier de la princesse de San Martino, il déclara avec componction devant le premier cordonnier et le maître de cérémonie que sous son règne, les femmes n'obtiendraient d'audiences que pour les affaires les plus cruciales et quand leur présence aurait l'importance d'un témoignage.

L'Église ouvrit un procès à l'encontre d'Olimpia Maidalchini, exigeant le remboursement de trois millions d'écus. Camillo son fils fit l'épreuve de sa propre fatuité lorsqu'il vint lui annoncer que l'ordre de son bannissement était publié et que son épouse la princesse de Rossano, en bonne grâce auprès d'Alexandre VII, s'efforçait de faire annuler la procédure qui menaçait la fortune familiale. La papesse préférait perdre jusqu'au dernier sequin plutôt que de devoir la conservation de ses biens à quiconque.

Elle partit pour Viterbe dans un carrosse noir tiré de chevaux noirs et l'on dit que dans sa colère elle maudit Rome tout entière et la voua à une perte infâme.

Olimpia Maidalchini mourut dans l'année du fléau de 1657 qui fit cent soixante mille morts. La peste emporta sa vie et les restes de son procès d'une même main.

Une légende veut que son fils trouvât trois diamants dans la bouche de son cadavre en putréfaction.

On dit aussi que dans la via Tiradiavoli, la berline enflammée de la Maidalchini est régulièrement poursuivie des démons.

La première partie de ce livre a été écrite
à la villa Medici, la seconde à Bailly, en Bourgogne.

conception
réalisation
mise en page pca

44405 Rezé cedex

Imprimé par CPI (Barcelona).

en juillet 2016

Imprimé en Espagne